matroos
zeilschip
kapers
scheepskok
orka's
behandeltafel

AVI: E5

Leesmoeilijkheid: woorden met -isch (komisch, fantastisch)

Thema: fantasie

Zwijsen

Peter Smit

Marina en de Pauwenkroon

met tekeningen van Jan de Kinder

Naam: *Marina Casterman*
Ik woon met: *mijn broer Casper en mijn vader en moeder*
Dit doe ik het liefst: *dansen*
Hier heb ik een hekel aan: *pesten, vroeg opstaan*
Later word ik: *danseres*
Deze drie dingen zou ik meenemen naar een onbewoond eiland: *muziek, mijn familie en natuurlijk Bas (want daar ben ik verliefd op!)*

1. Marina doet een leestest

Marina ziet de letters over de bladzijden dansen.
Ze doet heel erg haar best om ze te lezen.
Maar het lukt haar gewoonweg niet.
Het lijkt wel een lettercircus, denkt ze.
Alle letters dansen en springen door elkaar heen!
Zelf houdt Marina ook veel van dansen.
Ze zit op ballet en doet mee aan een musical.
Maar nu is ze bezig met een speciale leestest.
Ze ziet dat er een lang woord op de regel staat.
Iets als 'politieagent', of anders 'poolreiziger'.
Maar ze ziet niet wat er precies staat.
Marina zucht een paar keer heel diep.
Haar ogen doen pijn, maar ze geeft niet op.
Ze blijft proberen om het woord te lezen.
Dan zegt de meneer dat ze mag stoppen.

'Ik ga nu een paar vragen stellen,' zegt hij.
'Marina, wat gebeurt er op de eerste bladzijde?
Je mag het verhaal in je eigen woorden vertellen.'
Marina voelt dat ze een kleur krijgt.
'Er staat politieagent of poolreiziger,' zegt ze.
De meneer trekt een verbaasd gezicht.
'Je hebt alleen de eerste regel gelezen,' zegt hij.
Marina voelt nu dat ze het opeens heel warm krijgt.
De meneer kijkt haar aan en stelt haar gerust.

'Je hoeft niet te schrikken,' zegt hij vriendelijk.
'Er is iets bijzonders met je ogen aan de hand.
We gaan onderzoeken wat we daaraan kunnen doen.
En dat geldt ook voor de anderen in deze groep.'
Marina haalt diep adem en kijkt het groepje rond.
Ze lachten haar niet uit!
In haar gewone schoolklas gebeurt dat soms wel ...

Een paar dagen later zit Marina samen met haar ouders
in het ziekenhuis.
Ze luisteren naar de meneer van de leestest.
'Marina heeft een oogprobleem,' vertelt hij.
'Met haar verstand is niets aan de hand.
Als ik haar iets moeilijks vraag, begrijpt zij het prima.
En ze kan heel goed logisch nadenken.
Maar als Marina lange stukken leest, gaat er iets mis.
Ik ga u doorsturen naar een oogkliniek.
Daar is een geleerde oogarts die hier veel over weet.'
'Moet Marina geopereerd worden?' vraagt mama bezorgd.
De meneer zegt dat hij dat niet weet.
'Ik kan u daar niets over vertellen,' zegt hij.
'Misschien kan het met een ooglapje beter worden.'
Nu schiet Marina van schrik overeind.
Met een ooglapje kan ze natuurlijk niet dansen!
En volgende maand heeft ze een uitvoering!

De meneer schrijft iets op een briefje.

'Dit kunt u afgeven bij de oogkliniek,' zegt hij.
'Die is hier vlakbij, op het Canadaplein.
U kunt er 's ochtends tot twaalf uur binnenlopen.
Dan kunt u een afspraak maken met de oogspecialist.
Ik hoop dat Marina snel geholpen wordt.
Zodat zij alle lessen gewoon weer goed kan volgen.'
'Dat zou inderdaad fijn zijn,' zegt Marina's papa.
'Ik hoop zó dat het allemaal goed komt,' zegt mama.
Marina zelf zegt niets.
Ze denkt aan het ooglapje dat ze misschien krijgt.
Een danseres met een ooglapje, zou dat bestaan?
Ze denkt aan de balletfoto's op haar kamer.
Daar staan veel dansers en danseressen op.
Maar niet één van hen draagt een ooglapje.
Marina voelt zich eventjes heel verdrietig.
Maar dan krijgt ze gelukkig een goed idee.
Zeerovers hebben namelijk wel ooglapjes!
Dat zag ze in een boek van haar broer.
Dus kan ze altijd nog een beroemde zeerover worden.
Dan valt ze midden op zee vrachtschepen aan.
Eerst een schip vol met balletschoenen.
Dan een schip vol met kostbare jurken.
En daarna een schip vol juwelen en sieraden!
Dan kan ze met de zeerovers een groot feest geven.
En op dat feest kan ze dan toch nog dansen!
Van dit idee wordt Marina opeens weer vrolijk.
Ze ziet op de klok dat het bijna half twaalf is.

‘Het is nog ’s ochtends,’ zegt ze.
‘Zullen we meteen naar de oogkliniek gaan?’
‘Wat heb jij opeens een haast,’ zegt papa.
‘Vind je het niet erg dat je misschien een ooglapje moet?’
‘Ik ga een groot zeeroversfeest geven,’ zegt Marina.
Marina’s vader en moeder moeten daar om lachen.
‘Goed dat je er iets leuks van maakt,’ zegt mama.
‘Dat vind ik echt fantastisch, Marien!’

Even later lopen ze samen over de stoep.
Marina wijst naar een naambord aan de overkant.
‘Staat daar oogkliniek?’ vraagt ze.
‘Nee,’ zegt papa, ‘daar staat politie.’
Hij wijst naar een gebouw een stukje verderop.
‘Volgens mij is dat gele gebouw de oogkliniek.
Ik ben daar een keer geweest met Casper.
Die had een papieren pijltje in zijn ooghoek.
Ik weet nog dat het er heel dramatisch uitzag.
Als Casper maar niet blind wordt, dacht ik nog.
Maar de dokter lachte en trok het pijltje er zo uit.
“Voortaan een duikbril opzetten,” grapte hij.’

2. Dromen van zeerovers

Het onderzoek van de oogarts duurt niet lang.
De dokter kijkt naar het linkeroog van Marina.
Daarna bekijkt hij het nog een keer door een lens.
Daarna zegt hij een paar moeilijke woorden.
Marina begrijpt niets van wat hij zegt.
Haar ouders begrijpen het wel en schrikken ervan.
'Krijgt Marina een operatie?' vraagt papa.
De oogarts knikt en zegt dat dat het beste is.
'U moet zich niet ongerust maken,' zegt hij.
'Mijn collega dokter Garmisch is hier heel goed in.
Ik werk al meer dan twintig jaar met hem samen.
En in al die tijd is het nog nooit misgegaan.
Over drie weken kan Marina weer gewoon lezen.'
Dat stelt de ouders van Marina een beetje gerust.
Ze kijken naar Marina, maar die let niet op.
Marina denkt aan het ooglapje dat ze gaat krijgen.
En fantaseert over haar nieuwe beroep: zeerover!

's Avonds mag Marina nog even opblijven.
Meestal kijkt ze dan tv met een bakje paprikachips.
Maar dit keer doet Marina iets heel anders.
Ze vraagt haar broer Casper of hij wil voorlezen.
En stukje uit het zeeroversboek dat hij heeft.
Dat boek heet: 'Zeerovers van de Lage Landen'.
Er staan beroemde kapers en zeerovers in, zoals Piet Hein.

Maar Casper leest een stuk over een andere zeerover.
Die heette Klaas Compaan en leefde lang geleden.
Hij maakte toen een lange reis per schip.
Toen hij terugkwam, kreeg hij geen loon betaald.
Uit wraak ging Klaas Compaan toen schepen kapen.
Dat deed hij op een leuke en heel slimme manier.
Het eten op een zeilschip was vroeger slecht.
Er was beschuit, zure groentesoep en oud brood.
Klaas Compaan wist dat en maakte er gebruik van.
Hij laadde zijn eigen schip vol met lekkere dingen.
Als hij een ander schip zag, ging hij ernaast varen.
Dan liet hij zijn scheepskok aan dek eten klaarmaken.
Die kok roosterde vis en braadde gehaktballen.
Ook maakte hij warme appelmoes met lekkere kruiden.
De wind dreef de etensgeuren naar het andere schip.
Daar kauwden de matrozen op korsten oud brood.
Ze keken jaloers naar het schip van Klaas Compaan.
Als iedereen keek, kwam Klaas Compaan in actie.
Hij riep: 'Mijn kok heeft veel te veel eten gemaakt.
Jullie zijn welkom om bij mij aan boord te eten.
Maar eerst drinken we met zijn allen een biertje!'

'Dat wilden de matrozen wat graag,' leest Casper verder voor.
'Ze stapten over op het schip van Klaas Compaan.
Maar zodra ze zaten te eten, kaapte hij hun schip!
Zo veroverde Klaas Compaan ruim tweehonderd

schepen.'
'Is dit allemaal echt gebeurd?' vraagt Marina.
Casper knikt en slaat het boek dicht.
Hij wijst naar de voorkant van het boek.
'Al deze piraten hebben echt bestaan,' zegt hij.
'Want dit is een geschiedenisboek over zeerovers.
Maar er zijn ook zeerovers die niet echt bestaan.
Dat zijn figuren die door iemand zijn bedacht.
Zoals kapitein Haak uit de tekenfilm van Peter Pan.
En Zacharias Hooi heeft ook niet echt bestaan.
Dat is een zeerover uit een kinderboek.'
'Wat voor piraat is Zacharias Hooi?' vraagt Marina.
'Hij is sterk en kan goed vechten,' zegt Casper.
'Hij verovert veel goudschatten en geldkisten.
Maar wat hij rooft, raakt hij altijd weer kwijt.
Dat komt omdat hij niet zo goed kan rekenen.'
'Kan Zacharias Hooi balletdansen?' vraagt Marina.
Daar moet Casper even heel hard om lachen.
'Zeerovers dansen de horlepiep,' grinnikt hij.
'Maar er is wel een zeerover die Simon Danser heet.
Die staat in dit boek, dus hij heeft echt bestaan.
Simon Danser was bevriend met de pasja van Algiers.
Samen roofden ze veel Franse en Spaanse schepen.
Maar ze kregen ruzie over de verdeling van de buit.
's Avonds werd Simon Danser door de pasja onthoofd.
Het hoofd werd in een kanon gedaan en weggeschoten.
Het landde in de soepketel van de scheepskok!'

'Casper, nu ophouden,' zegt vader opeens boos.
'Je moet je zusje 's avonds niet bang maken.
Dan krijgt ze nachtmerries, dat weet je best.'
Dan kijkt papa op de klok van de woonkamer.
Marina weet wat dat betekent: het is bedtijd!

Even later ligt Marina in bed.
In de eikenboom voor haar slaapkamer kwetteren vogels.
Eerst denkt Marina aan spreeuwen, dan aan meeuwen.
Meeuwen die hoog in een scheepsmast zitten.
Een zeilschip dat op de golven van de zee wiegt ...

In haar droom draagt Marina een knalrood ooglapje.
Ze loopt over het scheepsdek en blaast op haar trompet.
Even later staan alle matrozen in een kring om haar heen.
'Wat is er aan de hand, kapitein?' vraagt iemand.
Marina haalt een schatkaart uit de mouw van haar jas.
'We zijn in de buurt van een schateiland,' zegt ze.
'Het is een tropisch eiland met in het oerwoud een moeras.
Bij dat moeras ligt een kostbare kroon begraven.
Hij was van een sultan en heet de Pauwenkroon.
Op deze schatkaart staat waar die kroon ongeveer ligt.
Maar er staat ook een goede raad op de kaart.
"Pas op voor het Monster met de Duizend Tanden."
Dat monster woont diep in de modder van het moeras.
Het drinkt modderwater en het eet zeemansvlees!

Het monster eet je niet in één keer op.
Het neemt telkens een hap, het liefst uit je bil.
Dat is erg, want op één bil kun je niet zitten!'
Marina stopt met voorlezen en kijkt de kring rond.
'Wie mee durft, moet zijn hand opsteken,' zegt ze.
De matrozen kijken somber, maar niemand doet iets.
Dan begint de scheepskok zachtjes te grinniken.
Hij wijst naar een matroos die heel erg dik is.
'Als dat monster een hap uit je achterwerk neemt,' zegt hij.
'Dan merk jij daar niks van, met je dikke billen.'
De anderen lachen en kijken naar de dikke matroos.
Die moet eerst even over het grapje nadenken.
Dan wordt hij boos en zwaait hij met zijn vuist.
De matroos wil vechten, maar hij krijgt geen kans.
'Nu heb je gestemd,' roept de scheepskok lachend.
'Wie zijn hand opsteekt, moet mee naar het eiland!'

Nu slaat de droom van Marina een heel stuk over.
De zeelui lopen tussen lianen en andere tropische planten.
Hoog in de palmbomen horen ze apen krijsen.
'Wat voor kleur heeft dat monster?' vraagt de scheepskok.
'Ik ben bang dat ik het niet precies weet,' fluistert Marina.
Ze kijkt om zich heen, tuurt tussen de groene varens.
Hoort ze in de struiken vlak bij haar iets ritselen?

Marina houdt angstig haar pas in en spitst haar oren.
Dan sluipt ze voorzichtig verder naar het moeras.
'Zijn we er al bijna?' fluistert de scheepsjongen.

Marina stopt even en kijkt op de oude schatkaart.
'Volgens de kaart zijn we er,' zegt ze verbaasd.
'Maar hoe kan het dat ik nog geen water zie?'
Dan hoort Marina opeens een zacht, plonzend geluid.
Voor haar voeten ziet ze planten op en neer gaan.
'Ik geloof dat we bij het moeras zijn,' zegt ze.
Een seconde later gaat een matroos kopje onder.
Zijn makkers kunnen hem snel op de kant trekken.
'Ik schrik me wild,' proest de matroos.
Hij lijkt sprekend op Bas uit Marina's klas.
Die vindt ze stiekem wel erg leuk.
Ook in haar droom moet ze nu om hem lachen.
Hij veegt een sliert waterplant uit zijn haar.
Daarna spuugt hij een paar stukjes groen kroos uit.
Dat ziet er heel komisch uit ...
'Gelukkig is het water helemaal niet ...'
De kletsnatte matroos maakt zijn zin niet af.
Hij kijkt met grote ogen naar de waterplanten.
Die golven op en neer en wijken opeens uit elkaar.
Uit het groene wier komen twee gele ogen omhoog.
Een daarna ... een bek vol met vlijmscherpe tanden!
'Het monster is er!' gillen de zeelui in koor.
Ze rennen weg zo snel als hun benen hen kunnen dragen.

Marina en de scheepskok zijn verstijfd van schrik.
Ze staan met grote angstogen naar het monster te kijken.
Dat klappert met zijn tanden en nadert pijlsnel.
'Heb toch genade met mij,' stamelt de scheepskok.
Maar het monster spert zijn bek wagenwijd open.
Het spuwt een vlam uit die Marina's ogen verblindt.
Meteen daarna klinkt er een enge, keiharde brul.
Marina staat te trillen op haar benen van angst.
Nog een paar seconden, denkt ze, en dan ...

Dan gaat de wekker en zit Marina rechtop in bed.
Ze kijkt angstig rond, maar ze ziet geen monster.
Ze ziet haar spelcomputer en haar balletfoto's.
Het was maar een droom, denkt ze dan.
Gelukkig maar: het monster was echt een gruwel!
Marina denkt aan een computerspel dat ze wel eens bij
Mette, een meisje uit haar klas, heeft gespeeld.
Daarin kun je met een hengel waterdieren vangen.
Sommige vissen zijn zo groot als een guppy.
Maar er zaten ook orka's, walvissen en haaien tussen.
Het engste beest was een Australische krokodil.
Dat beest leek wel een prehistorisch monster!
Mette wist hoe je die krokodil kon verslaan.
Zij was daar heel goed in.
Je moet een stok in zijn opengesperde bek zetten.
Dan kan die krokodil zijn muil niet meer dichtdoen.
Marina haalt diep adem en ... ze valt weer in slaap.

Marina staat bij het moeras en kijkt naar de scheepskok.
Die zet een pollepel in de bek van het monster.
Het monster spuwt vuur en springt wild op en neer.
Marina is bang dat de pollepel in stukken zal breken.
Dat gebeurt niet, het monster duikt het moeras in.
Marina en de scheepskok kijken elkaar lachend aan.
'We hebben het monster verslagen,' roepen ze.
Marina pakt de schatkaart weer uit haar mouw.
Ze kijkt naar de plek waar een rood kruisje staat.
'De kroon van de sultan ligt hier vlakbij,' zegt ze.
Als Marina geen antwoord krijgt, kijkt ze op.
Ze schrikt: de scheepskok is nergens meer te zien!
Marina zet haar handen aan haar mond.
'Kokkie!' roept ze zo hard ze kan, 'waar ben je?'
Een minuut lang is het doodstil in het bos.
Dan komt er een papegaai uit de lucht fladderen.
'Lorre,' zegt de papegaai, 'op zoek naar de kroon?'
'Hoe weet jij dat?' vraagt Marina verbaasd.
'Iedereen wil de Pauwenkroon hebben,' krijst de papegaai.
'Niemand past hem, maar iedereen wil hem hebben!'
'Ligt die Pauwenkroon hier dichtbij?' vraagt Marina.
'Dichterbij dan je denkt,' krijst de papegaai.
'Maar zonder mij vind je die kroon echt niet.
Nu niet, straks niet, nooit niet, stuk verdriet!'
'Aangenaam,' zegt Marina, 'ik ben Marina Casterman.'
'Ik heet Chip, niet stuk verdriet,' zegt de vogel.

‘Ze noemen mij ook vaak Chip de Pratende Soepkip.
Zo noemt mijn baas mij, de zeerover Zacharias Hooi.’
‘Maar die leefde toch lang geleden?’ zegt Marina.
‘Klopt als een knallende donderbus,’ zegt Chip.
‘Maar ik ben ook heel oud, ik ben al honderdvier!’
‘Zo oud?’ zegt Marina, ‘dan ben je een opagaai!’
Marina vindt haar opmerking grappig en moet lachen.
Maar Chip de Pratende Soepkip vindt hem niet leuk.
Hij probeert Marina snel in haar oor te bijten.
Marina duikt net op tijd opzij en roept: ‘Sorry!’
‘Dit is echt de domste grap ter wereld,’ zegt Chip.
‘En niet alleen de domste, maar ook de oudste!’
‘Ik zei toch sorry,’ zegt Marina nog een keer.
‘Sorry, wat koop ik voor sorry,’ krijst Chip.
‘Die mensen altijd, met hun vervelende grappen!
De een noemt je Pratende Soepkip, de ander opagaai.
En dan willen ze dat ik vertel waar de kroon is!’
‘Hoe weet jij dan waar de kroon is?’ vraagt Marina.
‘Hoe ik dat weet, kleine kakelneet,’ krijst Chip.
‘Ik zat in de boom toen de dieven een kuil groeven.
Onder in die kuil verstopten ze de Pauwenkroon.
Toen gooiden ze de kuil weer dicht, dom wicht!’
‘Maar bij welke boom ligt hij dan?’ vraagt Marina.
‘Ik zeg het als je een raadsel oplost,’ zegt Chip.
“s Ochtends loopt het op vier benen.
’s Middags loop het op twee benen.
En ’s avonds loopt het op drie benen.

Rara wat is het?'
Chip kijkt Marina heel even spottend aan.
Die haalt haar schouders op en zegt: 'Een mens.'
Even is het stil; je kunt een speld horen vallen.
Dan begint Chip woedend te krijsen en te fladderen.
'Hoe weet je dat, veerloos mens, zeg op!'
'Mijn papa geeft les in geschiedenis,' zegt Marina.
'Dit raadsel is bijna drieduizend jaar oud.
Het is het beroemde raadsel van de sfinx.
Een heel jong mens kruipt op handen en voeten.
Een volwassen mens loopt op twee benen.
En een heel oud mens loop met een wandelstok.
Maar nu moet jij zeggen waar de Pauwenkroon is.
Eerlijk is eerlijk en je hebt het beloofd.'
Nu raakt Chip echt buiten zichzelf van woede.
Hij krijst hysterisch en slaat met zijn vleugels.
Marina doet voor de zekerheid een stap achteruit.
'Verslagen door een pul, een minkukel!' gilt Chip.
'O, tragische ik!
Wee mij, wee mij, wee mij!'
'Mij best,' zegt Marina, 'maar waar is de kroon nu?'
'Onder je voeten, blaag met sproeten,' krijst Chip.
Marina bukt en graaft met haar handen in de grond.
Al snel voelen haar vingers iets hards in het zand.
Ze graaft het voorwerp uit en trekt het omhoog.
Het is de Pauwenkroon, die glanst in het zonlicht!
'En nu wegwezen!' krijst Chip, 'ik tel tot tien!'

‘Opschieten Marina, het is zeven uur ’s ochtends!’
Marina schiet van schrik opnieuw recht overeind.
‘Snel, anders komen we te laat bij de oogarts!’
Marina begrijpt dat ze weer in slaap is gevallen.
Ze springt uit bed en rent naar de badkamer.
Bij het tanden poetsen denkt ze terug aan de droom.
Ze heeft in een oerwoud een kroon gevonden!
‘Opschieten, Marina!’ roept mama van beneden.
‘We moeten om acht uur in de oogkliniek zijn!
En het is op zijn minst een half uur lopen!’
‘Doe niet zo panisch, mama,’ roept Marina terug.
‘We komen heus wel op tijd!’

3. De operatie van dokter Garmisch

Marina en haar moeder zijn precies op tijd.
In het ziekenhuis staat de oogarts al klaar.
'Ik ben dokter Garmisch,' zegt hij vriendelijk.
Dan vraagt hij wanneer Marina precies last van haar ogen heeft.
'Met lezen,' zegt Marina, 'gewoon kijken gaat wel.
's Ochtends gaat lezen ook wel, maar 's middags niet.
Dan beginnen de letters voor mijn ogen te dansen.
Ik moet dan raden wat er precies staat.
Dat gaat vaak mis en ik word er heel moe van.'
Dokter Garmisch knikt en kijkt naar Marina's moeder.
'Ik ga Marina's ogen nog even doormeten,' zegt hij.
'Daarna ga ik een van de oogspieren korter maken.
Volgende week is de andere oogspier aan de beurt.
Kunt u hier volgende week op dezelfde tijd zijn?'
Marina's moeder kijkt in haar agenda en knikt.
'Zelf kan ik niet, maar mijn man heeft dan vrij.
Hij heeft deze week een congres in Australië.'
'Wat voor congres is dat?' vraagt dokter Garmisch.
'Over de geschiedenis van het rekenen,' zegt mama.
'Mijn man wil dat kinderen daar meer over weten.
Volgens hem begrijpen ze dan beter hoe het werkt.'
Dan wijst dokter Garmisch naar een groot apparaat.
'Wil je even in de lens kijken?' vraagt hij Marina.
'Dan worden je ogen automatisch gemeten.'

Terwijl Marina kijkt, praat dokter Garmisch verder.
'Marina krijgt zo een slaapmiddel.
Dat middel werkt ongeveer een uur.
U kunt hier blijven, maar u kunt haar ook ophalen.
Haar oog wordt voor een week afgeplakt.
Volgende week donderdag haal ik de oogpleister weg.
Een dag later opereer ik dan de andere oogspier.
Ook dat oog moet een week lang worden afgeplakt.
Al die tijd kan Marina maar met één oog kijken.
Dat is vermoeiend en het kan problemen geven.
Ik raad bijvoorbeeld af om te sporten.
Ook in het verkeer moet Marina extra goed opletten.
Met één oog is het lastig om afstanden te schatten.
Je botst dan snel tegen iemand op, of nog erger.'

Even later ligt Marina op een behandeltafel.
Ze zucht heel diep en hoort haar maag rommelen.
'Strakjes trakteer ik op cola,' zegt mama.
'Met net zoveel popcorn als je op kunt eten.'
Dan moet mama opeens even de andere kant op kijken.
Ze zucht en zegt: 'Nou, even doorzetten Marien.
Dan kun je straks weer goed zien.'
Hierna gaat alles opeens heel snel voor Marina.
Ze krijgt een laken om en een kapje voor haar mond.
Vlak boven haar hangt het gezicht van dokter Garmisch.
Hij draagt een lichtgroen mondkapje.
'Langzaam adem halen en tot tien tellen,' zegt hij.

Marina knikt en begint te tellen.
Bij zeven merkt ze dat ze begint te zweven.
Bij negen ziet ze het licht langzaam uitgaan ...

Marina droomt weer dat ze in een tropisch oerwoud is.
Ze draagt een gouden kroon met edelstenen.
Die kroon is te groot en zakt half voor haar ogen.
Maar Marina heeft geen tijd om erop te letten.
Snel naar het strand, straks vaart het schip weg!
Marina loopt zo hard als ze kan over het bospad.
Als ze nog maar op tijd bij de zee is!
Ze is bang om op het eiland achter te blijven.
Met alleen een valse papegaai om mee te praten.
En een eng monster met een pollepel in zijn bek.
Wat een tragisch lot zou dat zijn!
Nooit meer popcorn, nooit meer cola!
Bij die gedachte gaat Marina nog sneller lopen.
Ze loopt langs palmbomen en tropisch struikgewas.
Overal vliegen kolibries, maar Marina ziet ze niet.
Ze heeft alleen oog voor het pad voor haar voeten.
Dan maakt het pad een bocht en ziet Marina de zee.
Ze haalt opgelucht adem: daar ligt haar schip!
Ze roept: 'Ahoi, ik ben er!'
Op het schip kijken alle matrozen haar kant op.
Maar dan ziet ze een gezicht dat ze niet kent.
De man kijkt en zegt: 'Ik ben Zacharias Hooi.
Ik ben nu kapitein: opgestaan plaatsje vergaan!'

Even weet Marina niet wat ze moet zeggen.
Piraat Zacharias Hooi heeft haar schip gekaapt!
Marina wil hem aan zijn oren overboord gooien.
Maar ze snapt dat dat moeilijk zal gaan.
Zonder hulp kan ze nooit op haar schip komen.
De zeerover kan haar uitlachen zolang hij maar wil!
Marina begrijpt dat ze slim moet zijn.
Liever haar schip kwijt, dan alleen op het eiland blijven.
'Jij mag mijn schip hebben,' roept Marina.
'Als je mij en de Pauwenkroon naar huis brengt!'

Even is het doodstil aan boord van het zeilschip.
'Heb je de kroon echt gevonden?' vraagt Zacharias.
'Hij staat op mijn hoofd,' zegt Marina, 'kijk dan.'
Even later komt er een roeiboot naar haar toe.
Zacharias Hooi zit erin; hij trekt aan de roeispanen.
Mooi, denkt Marina, als ze in de boot stapt.
Eindelijk kan ik naar huis!
'Is dat de Pauwenkroon?' vraagt Zacharias Hooi.
Marina knikt en vertelt trots hoe ze hem vond.
'Maar hij glimt helemaal niet,' zegt de zeerover.
Marina zet haar kroon af en begint te poetsen.
Al snel glanzen de edelstenen in de zon.
De Pauwenkroon ziet er echt geweldig mooi uit.
Maar ziet ze daar letters aan de binnenkant?
Marina poetst ze op en probeert ze te lezen.
Kus de ...ildpa. en zie de .rins?

Tijd om nog eens goed te kijken heeft Marina niet.
De roeiboot ligt nu naast het schip.
Een matroos gooit een touwladder naar beneden.
'Laat mij maar als eerste klimmen,' zegt de zeerover.
'Als ik boven ben, ga jij op de touwladder zitten.
Dan hijs ik je op en kom je zonder moeite boven.
Geef je spullen maar hier, dan draag ik die wel.
Dat is wel het minste wat ik voor je kan doen.'

Marina geeft de Pauwenkroon en haar rugzakje door.
Ze ziet de zeerover omhoog klimmen en aan boord gaan.
Maar dan ... hijst Zacharias Hooi de touwladder op!
'Stop even!' roept Marina, 'ik zit er nog niet op!'
'Weet ik,' grijnst Zacharias Hooi.
Even denkt Marina dat de zeerover een grapje maakt.
Dat hij 'gefopt' zegt en de touwladder laat zakken.
Maar dan worden de zeilen van het schip gehesen.
Marina hoort de matrozen het scheepsanker binnenhalen.
'Vaarwel,' roept Zacharias Hooi terwijl hij zwaait.
'Ik krijg je wel, gemene muiter,' roept Marina.
'Zak Hooi, met je baard vol luizen en vlooien!
Ik hoop dat je overboord valt, plat op het water!
In een golf waarin net een walvis heeft gepoept!'
Even wil Marina achter het schip aanroeien.
Dan ziet ze dat de zon al bijna onder is.
Over een half uurtje is het donker, denkt ze.
Ze roeit toch maar naar het eiland terug.

Als Marina op het strand aankomt, gaat de zon onder.
Ik blijf maar op het strand zitten, denkt ze.
Straks stap ik in het donker nog op een cactus.
Of op een giftige schorpioen of een wurgslang.
Op het strand is het in het donker het veiligst.
Behalve als er een inktvis uit de golven opduikt.
Of een Australische krokodil van tien meter lang.
Marina zucht en zoekt dan een plekje om te zitten.
Midden op het strand ziet ze een grote, ronde rots.
Ze klimt er bovenop en kijkt naar de sterren.
De zon is nu onder en het wordt snel donker.
Marina doet haar ogen dicht en begint te soezen.

Even later voelt ze opeens dat er iets beweegt.
Ze doet een oog open en ziet een helder licht.
En daarna ... het gezicht van dokter Garmisch!
De dokter glimlacht en vraagt: ‘Hebben we contact?’

4. Problemen op balletles

Marina kijkt in de spiegel en ziet haar oogpleister.
'Krijg ik geen ooglapje?' vraagt ze aan mama.
'Dat doen we allang niet meer,' zegt de dokter.
'Dan maak ik er wel een voor je,' zegt mama.
'Dan kun je ook zelf de kleur uitkiezen.'
'Ik moet je wel waarschuwen,' zegt dokter Garmisch.
'Het mag de eerste dagen niet nat worden.
Je hebt tijdelijk één oog, dat voor twee moet werken.
Dan kun je beter niet te lang achter de computer zitten.
Daar wordt je oog heel snel moe van.
En denk eraan: pas op met sporten en in het verkeer.
Met één oog is het lastig om afstanden te schatten.
Nou, dan zie ik je graag volgende week terug.'
'Om acht uur 's ochtends, hè?' vraagt mama.
'Ja,' zegt de dokter, 'en nu op naar de popcorn.'

Drie dagen later heeft Marina balletles.
Mama heeft liever dat ze afzegt, vanwege haar oog.
'Maar het is heel belangrijk, mam,' zegt Marina.
'Onze klas is gevraagd om in een musical te dansen.
Vanmiddag gaat de juf de rollen verdelen.
Als ik afzeg, slaat ze mij misschien over!'
'Waar gaat die musical dan over?' vraagt mama.
'Het gaat over een droom en het speelt in een bos.
In dat bos wonen elfen, met een koning en koningin.

Op een nacht komen mensen een toneelstuk oefenen.
Een van de elfen gaat dat in de war sturen.
Dat elfje heet Puck en ik krijg misschien die rol.
Dat zei de juf; ze zegt dat ik komisch talent heb.'
'Wat doet Puck,' vraagt mama, 'struikelt zij vaak?'
'Nee,' zegt Marina, 'Puck heeft magische krachten.
Zij tovert een man om in een ezel, bijvoorbeeld.'
'Wat zielig,' zegt mama, 'komt het wel goed?'
'Als ik de rol van Puck krijg, wel,' zegt Marina.
'Maar anders weet ik niet of het wel goed komt.
Kan ik dan toch maar niet beter naar balletles gaan?'
'Nou, vooruit dan maar,' zegt mama.
'Als je belooft dat je voorzichtig bent.'

's Middags gaat Marina al vroeg naar balletles.
Ze heeft beloofd het rustig aan te doen, maar dat lukt niet.
Ze oefent een paar pasjes en tippelt op haar tenen.
Dan maakt ze een dubbele draai en een sprong.
Daarbij botst ze tegen een ander meisje aan.
'Pas op,' zegt die, 'je lijkt wel een piraat!'
'Sorry, Pascalle,' zegt Marina, 'het ging per ongeluk.
Met één oog kun je geen afstanden schatten, weet je.'
Marina danst verder, maar Pascalle is niet zo aardig.
'Ik vind dat zij weg moet,' zegt ze tegen de juf.
'Ze zegt zelf dat ze met één oog niet kan dansen.
Straks heb ik misschien door haar een blauw oog.

Dan kan ik mijn hoofdrol in de musical vergeten.'
De balletjuf wil de zaak sussen, maar dat mislukt.
Pascalle blijft erbij dat Marina aan de kant moet.
Marina steekt eerst haar tong naar Pascalle uit.
Daarna loopt ze op platte voeten naar de bank.
Bij elke stap kletsen haar voetzolen op de vloer.
Een paar meisjes lachen, maar Pascalle kijkt nijdig.
Marina vraagt onschuldig wat er met haar is.
'Ik ben allergisch voor stomme grappen,' zegt Pascalle.
'Speel dan maar niet in deze musical,' zegt Marina.
'Want die zit vol met zulke grappen en grollen.'
'Precies,' zegt Carla, 'dat zegt mijn zus ook.
Het is een komische musical, echt iets voor Marien.
Mijn zus vindt dat zij de rol van Puck moet spelen.
Zij zegt dat die rol perfect bij Marina past.'

Even is iedereen daar stil van.
De zus van Carla is een heel bekende danseres.
'Dat kan toch niet,' gilt Pascalle opeens hysterisch.
'Met een ooglap kun je toch geen hoofdrol dansen!'
'Nu je mond houden, Pascalle,' zegt de balletjuf boos.
'Marina zou de rol van Puck prima kunnen spelen.
Puck is een vrolijke plaaggeest, net als Marina.'
'Ze kan beter Ruttel Gatjes spelen,' zegt Pascalle.
'Die heeft in het stuk namelijk een ezelskop.
Dat is handig, want dan zie je die ooglap niet.'
Eén meisje grinnikt, maar de anderen doen niet mee.

'Je gunt Marien gewoon die rol niet,' zegt Carla.
'Pfff,' zegt Pascalle, 'ik wil niet eens Puck zijn.'
'Maar ondertussen probeer je het wel,' zegt Carla.
Pascalle wordt nijdig en kijkt Carla fel aan.
'Jammer dat er geen schildpad in het stuk zit.
Die rol zou prima bij jou passen, Carla Kortbeen.'
Dit is gemeen om te zeggen en Carla is er stil van.
Zij weet ook wel dat zij voor ballet te klein is.
Maar Carla vindt het gewoon heel leuk om te dansen.
Ze slikt even iets weg en kijkt naar de vloer.
Marina schiet haar meteen te hulp.
Ze zegt: 'Zeg Pascalle, weet je wat bij jou past?
De rol van Pierlala in de poppenkast!'
Als iedereen lacht, kijkt Pascalle nijdig naar Marina.
'Als jij clown wilt worden, moet je naar een circus.
Dan heb je op een balletschool niets te zoeken.'
'En nu is iedereen stil,' zegt de balletjuf scherp.
'Pascalle, het is prima dat je een hoofdrol wilt.
Je hebt talent en je traint er hard voor.
Maar ik wil niet dat je de sfeer verpest.
Dat is ook niet nodig, want je krijgt een hoofdrol.
Jij speelt Titania, de koningin van de elfen.'

Een paar meisjes kijken jaloers naar Pascalle.
Maar die lijkt helemaal niet blij met haar rol.
'Ik weet wat er is,' fluistert Carla tegen Marina.
Dan zegt Carla het opeens hardop.

'Gefeliciteerd Pascalle, je mag de ezel kussen!'
Nu wordt Pascalle pas echt witheet van woede.
Ze gilt: 'Nare pestkoppen!' en stampt de zaal uit.
'Hoe weet jij dat van die ezel?' vraagt Marina.
'Mijn grote zus heeft Titania gespeeld,' zegt Carla.
'Ik was erbij, zodat ik weet hoe het stuk gaat.
Titania wordt verliefd op een betoverde ezel.
Die ezel is geen prins, maar een heel domme kerel.
Hij heet Ruttel Gatjes en maakt flauwe grappen.
Daarom baalt Pascalle van de rol van Titania.
Ze wil Puck spelen, maar die rol past haar niet.
Als Pascalle een grap maakt, lacht nooit iemand.
Bij jou lachen ze al voor je iets zegt, Marien.'
'Je moet wel oppassen,' zegt een ander meisje.
'Ik ken haar al lang en ze gaat vast wraak nemen.
Dat is echt wat voor Pascalle.'

De balletjuf klapt in haar handen.
'Op het prikbord staat wie welke rol heeft.
Voor een paar rollen is veel make-up nodig.
Wie daar allergisch voor is, moet dat snel zeggen.
Op onze website staat waar het stuk over gaat.
Als je daar op *musical* klikt, kun je het lezen.
En nu omkleden en tot volgende week.'

5. De schildpad en de aap

’s Avonds eet Marina macaroni met roomkaas.
Bij het eten voelt ze dat ze heel erg moe is.
Ze kauwt langzaam en haar oog valt telkens dicht.
‘Mag ik meteen naar bed?’ vraagt ze aan mama.
Die kijkt ongerust en vraagt of er iets is.
‘Ik ben moe van het kijken met één oog,’ zegt Marina.
‘Maar wil je dan geen toetje?’ vraagt mama.
‘Ik heb speciaal voor jou ijs met bitterkoekjes gekocht.
Ik dacht: je zult wel honger hebben na balletles.
Weet je al welke rol je krijgt in de musical?’
‘Ik ben Puck,’ zegt Marina, ‘dat is een hoofdrol.
Puck is iemand die de hele dag grappen maakt.’
‘Nou, die rol past jou prima,’ zegt mama lachend.
Marina glimlacht, maar het gaat niet van harte.
Mama ziet het en zegt: ‘Ga maar slapen, Marien.
Ik zie aan alles dat je heel erg moe bent.’

Even later ligt Marina in haar bed.
Buiten is het nog licht en de zon schijnt.
Marina hoort een merel zingen en valt dan in slaap.
Ze droomt meteen weer van het tropische eiland.
Ze zit op een rots en ziet de zon ondergaan.
Achter zich hoort ze geluiden van vogels en apen.
Maar zodra het donker is, wordt het opeens stil.
Zo stil, dat Marina er ondanks de warmte van rilt.

Dan schrikt ze opeens heel erg.
De rots waarop ze zit, begint te bewegen!
Eerst denkt Marina dat het een vulkaan is.
Ik moet rennen, denkt ze, straks komt er lava uit!
Maar hoe moet je nu hardlopen in het donker?
Straks knal ik op een boom of val ik in een kuil!
Marina denkt na over wat ze nu moet doen.
Dan hoort ze vlak naast zich een oude kraakstem.
'Knibbel, knabbel, knuisje,
wie zit er op mijn huisje?'
Nu wordt Marina pas echt bang.
'Wie is dat!' gilt ze, 'wie praat er tegen me?'
'Ik ben de schildpad,' zegt de stem, 'doe rustig.
Ik kan je niets doen, ook al zou ik het willen.
Ik heb geen tanden in mijn bek om mee te bijten.
Mijn poten zijn te kort om je te grijpen.
Kortom: zolang je op mijn rug zit, ben je veilig.'
Marina voelt de schildpad weer bewegen.
'Maar waar gaan we dan naartoe?' vraagt ze angstig.
'Naar een plant met frisse blaadjes,' zegt de schildpad.
'En naar een struik waar vuurvliegjes in wonen.
Als die mij bijlichten, kan ik zien wie jij bent.'
Terwijl de schildpad wandelt, denkt Marina diep na.
Er was iets met een schildpad, maar wat precies?
'Bukken,' zegt de schildpad, 'hier hangen lianen.
Als je niet bukt, kun je erin blijven hangen.'
Marina bukt en voelt planten over haar rug glijden.

‘U waarschuwde net op tijd,’ zegt Marina opgelucht.
‘Zoals gewoonlijk,’ zegt de schildpad tevreden.
‘Hoe heet u, als ik vragen mag?’ zegt Marina.
‘Mag, maar ik antwoord niet,’ zegt de schildpad.
‘Omdat ik liever niet uitgelachen wil worden.’
‘Maar ik lach u heus niet uit,’ zegt Marina.
‘Ik neem geen enkel risico,’ zegt de schildpad.
‘Daar ben ik ook te oud en te langzaam voor.
Maar kijk, daar is de struik met de vuurvliegjes.
Als je er tegen schopt, gaan ze licht geven.’

Marina hoort een struik wild heen en weer schudden.
Meteen daarna ziet ze duizenden vuurvliegjes.
Ze geven licht en vliegen in kleine rondjes.
Marina vindt het echt prachtig om te zien.
Ze ziet ook dat de schildpad gigantisch groot is.
Haar hele balletklas zou er wel op kunnen zitten!
De schildpad kijkt haar aan en knipoogt.
‘Wat ben jij knap,’ zegt hij met zachte stem.
‘Je lijkt wel een oosterse prinses.’
‘Dat is heel aardig van u,’ zegt Marina.
De schildpad glimlacht en zegt: ‘Niet schrikken.
Ik voel dat een bosbewoner op het licht afkomt.’
Marina kijkt om zich heen, maar ze ziet niets.
‘Ik voel de grond trillen,’ zegt de schildpad.
‘Het is iemand die sloft en op twee benen loopt.’
Even later stapt een schaduw de lichtkring binnen.

Het is een aap, ziet Marina, een harige mensaap.
'Ik zie licht,' zegt de aap, 'is hier een feestje?'
'Nee,' zegt de schildpad, 'we hebben een gast.'
Als de aap haar bekijkt, steekt Marina een hand uit.
'Ik ben Marina,' zegt ze, 'ik dans en ben zeerover.'
'Ik ben Sjakie,' zegt de aap, 'ik dans en ben aap.'
'Zit je ook op ballet?' vraagt Marina lachend.
'Nee,' zegt Sjakie, 'want mijn benen zijn te krom.
Maar ik kan goed discodansen, al zeg ik het zelf.
Wil jij mij de nieuwste discodans leren?
Dan ben ik de gelukkigste aap van de hele wereld!'

Even later leert Marina de aap een discodans.
Ze dansen bij het rode licht van de vuurvliegjes.
De aap leert snel, maar er is geen muziek.
'Met muziek erbij dans je nog beter,' zegt Marina.
De aap denkt even na en krabbelt op zijn kop.
Dan klapt hij in zijn grote handen.
'Chip!' roept hij, 'kom je fluiten?'
Meteen komt Chip de Pratende Soepkip aanvliegen.
'Wie riep me, wie riep me?' krijst de papegaai.
'Ik,' zegt Sjakie, 'we hebben muziek nodig.'
'Zal ik een concert fluiten?' vraagt Chip.
'Of liever een popliedje, zoals Dancing Machine?'
'Dat liedje ken ik helemaal niet,' zegt Marina.
'Het was anders een enorme hit,' zegt Chip.
'Maar dan moet ik het toch kennen,' zegt Marina.

‘In 1973 stond het in de top tien,’ zegt Chip.
‘Dat is nog geen vijftig jaartjes geleden.’
‘Hèhè,’ zegt Marina, ‘dat is uit mijn opa’s tijd.
In 1973 was ik nog lang niet geboren.’
‘Ik ook niet,’ zegt Sjakie.
‘Wat zijn jullie dan een stel snotapen,’ zegt Chip.
Daar zijn Marina en Sjakie even stil van.
Dan zegt de schildpad: ‘Je bent zelf een snotaap.
Jij bent honderdvier en ik ben tweehonderddertig jaar oud.
Ik heb Napoleon nog van zijn paard zien vallen.’
‘Jaja,’ mompelt Chip, ‘en dat moet ik geloven.’
‘Het was in mijn jonge jaren,’ zegt de schildpad.
‘Maar ik weet het nog heel goed.
Napoleon reed over het strand en viel in het zand.’
‘Fluit je dat liedje nog?’ vraagt Sjakie.
‘Goed,’ zegt Chip, ‘zijn jullie er klaar voor?’
Marina pakt de hand van Sjakie en Chip fluit.
‘Het is vet cool, al is het vet oud,’ zegt Marina.
Ze doet Sjakie een paar danspassen voor.
Die doet ze al meteen heel precies na.
‘Wat kun jij fantastisch goed dansen,’ zegt Marina.
Sjakie glundert en doet nog beter zijn best.
Na het liedje begint de schildpad te kuchen.
‘Ahem,’ zegt hij, ‘kunnen we nu iets rustigs doen?
Ik voel me namelijk een beetje buitengesloten.’
‘Wil je mij leren lezen, Marina?’ vraagt Sjakie.

‘Waarom wil je dat?’ vraagt Chip verbaasd.
‘Hier zijn geen boeken en er is geen bibliotheek.
Je hebt er niets aan als je kunt lezen.’
‘Zie je,’ zegt Sjakie verlegen, ‘ik ben nu mensaap.
Als ik kan lezen, word ik misschien een aapmens.
En als ik dan ook nog leer rekenen, dan …’
‘Wat dan, wat dan?’ vraagt Chip spottend.
‘Dan …’ Sjakie moet nu even heel diep zuchten.
‘Dan word ik,’ fluistert hij, ‘misschien een mens.’
Chip lacht zo hard dat Marina het zielig vindt.
Ze ziet dat Sjakie heel verdrietig is.
Hij slaat zijn handen voor zijn gezicht en huilt.
Maar Chip lacht gewoon door, harder en harder.
‘Wat een mop,’ schatert hij.
‘Misschien krijg je dan ook wel een leesbril!
En een kam, om een scheiding in je haar te maken!
Hahaha, wahoeha, die Sjakie, hahahaha!’
Chip giert het uit.
Marina stopt haar vingers in haar oren.

‘Wakker worden,’ hoort ze mama roepen.
‘Tijd om op te staan, Marien!
Vandaag komt papa terug van het congres!’

6. De streek van Pascalle

Als Marina uit school komt, is papa al thuis.
Marina is daar maar heel even vrolijk van.
Papa merkt dat haar iets dwarszit en vraagt ernaar.
Marina haalt diep adem en begint te vertellen.
'De balletklas doet mee aan een musical.
Ik heb een hoofdrol en mag Puck spelen.
Dat is een grappig elfje dat iedereen plaagt.
Pascalle is jaloers omdat zij ook Puck wil zijn.
Maar Pascalle is Titania, de koningin van de elfen.
In de musical wordt zij door Puck betoverd.
Titania wordt daardoor verliefd op een ezel.
Ze moet die ezel ook kussen en dat wil Pascalle niet.
Eerst vond ze dat het verhaal anders moest worden.
Ze vond het onlogisch dat ze een ezel moet kussen.
Maar de balletjuf zei dat Pascalle niet moest zeuren.
En nu probeert Pascalle iets anders.
Ze zegt dat dansen met een oogpleister gevaarlijk is.
Ze zegt dat ik van het podium kan vallen.
En dat ik bijna zeker tegen anderen aan ga botsen.
Dat je daarbij heel ernstig gewond kunt raken.
Zo erg, dat je misschien nooit meer kunt dansen.
Ze heeft een lijst waar ze de klas mee rond gaat.
Daarop staat dat je met één oog niet mag dansen.
Al veel kinderen hebben hun naam erop gezet.
Terwijl de meesten helemaal niet op dansles zitten!'

‘Wat is die Pascalle voor iemand?’ zegt papa boos.
‘Komt er rook uit haar neus als ze praat?’
Hier kan Marina gelukkig weer een beetje om lachen.
Maar mama niet.
‘Straks krijgt Pascalle nog haar zin ook,’ zegt ze.
‘Waarom denk je dat?’ vraagt papa.
‘Het klopt met wat dokter Garmisch zei,’ zegt mama.
‘Zolang ze één oog heeft, mag Marina niet sporten.’
‘Maar ballet is toch geen sport,’ zegt papa.
‘Hij bedoelt natuurlijk hockey of voetbal.’
‘Ballet is juist een supersport,’ zegt Marina.
‘Tegen een bal schoppen kan iedereen wel.
Maar een pirouette maken kan bijna niemand!’
‘Zitten er veel sprongen in je rol?’ vraagt papa.
‘Nee, maar het is een moeilijke rol om te dansen.
Er zitten heel veel snelle, korte danspasjes in.
En ik ben van iedereen het langst op het podium.’
‘Maar dan heb jij de echte hoofdrol,’ zegt mama.
‘En Pascalle niet, ondanks dat zij de koningin is.’
‘Vandaar dat ze zo loopt te stoken,’ zegt papa.

Even is het stil in de kamer.
Dan vraagt Casper: ‘Was het congres leuk, papa?’
Papa moet eerst lachen en zegt dan: ‘Fantastisch.
Er was heel veel aandacht voor mijn project.
Dat gaat over de geschiedenis van de getallen.
Ik heb verteld hoe de mensheid heeft leren rekenen.

Volgens mij is het nuttig dat kinderen dat weten.
Arabieren hebben de cijfers 1 tot en met 9 bedacht.
Een Indische geleerde bedacht het cijfer 0.
In de Arabische landen konden ze daarmee werken.
Dat gebeurde rond het jaar 1000.
Pas zeshonderd jaar later begreep een Nederlander het.
Dat was een wiskundige die Simon Stevin heette.
Simon Stevin was in die tijd een groot geleerde.
Hij bedacht een manier om grote getallen te delen.
Die som noemde hij een staartdeling.
Tot dan toe kon niemand zo'n deling maken.
Daar kwam vaak ruzie van, zoals bij een erfenis.
Of bij zeerovers die de buit moesten verdelen.
Er vielen doden, omdat mensen niet konden delen!'
'Het is me wat,' zegt mama met een glimlachje.
Ze knipoogt even snel naar Marina en Casper.
Die snappen het: papa zit weer op zijn praatstoel.
Dan praat hij maar door en merkt hij verder niets.
Marina, Casper en mama beginnen te grinniken.
Toch duurt het nog een tijd voor papa het merkt.
Die kijkt even verbaasd, maar moet dan ook lachen.
'Kortom: het congres was een succes,' zegt mama.
Papa knikt en zegt: 'Het was een droomcongres.'

7. Het geheim van de schildpad

Die avond gaat het hele gezin Chinees eten.
Zo vieren ze dat papa terug is van het congres.
Als ze terug zijn, gaat Marina meteen naar bed.
Zodra ze slaapt, droomt ze weer van het eiland.

Marina zit naast Sjakie en tekent een cirkel.
'Dit is een nul,' zegt Marina, 'nul is een cijfer.'
'O,' zegt Sjakie en hij kijkt naar de zon.
'Is de zon ook een nul?' vraagt Sjakie dan.
Nee,' zegt Marina, 'de zon is een brandende ster.'
'De zon lijkt wel erg op een nul,' zegt Sjakie.
Hij denkt na en vraagt: 'Kan een nul ook branden?'
'Dit wordt niks,' zucht de schildpad.
'Stop maar, Marina.'
De schildpad schudt zijn kop en kijkt heel treurig.
'Wat is er aan de hand?' vraagt Marina bezorgd.
'Ik weet het niet,' zegt de schildpad zacht.
'Ik voel mij opeens gevangen in dit schild.
Dat ik iemand anders ben, maar niet meer weet wie.'
'Ik zit gevangen op dit eiland,' zegt Sjakie.
'Ik ben ooit op een omgevallen boom gaan zitten.
Die boom dreef de rivier af en kwam in zee terecht.
Na drie dagen spoelde ik aan op dit eiland.'
'Hoe kwam jij hier?' vraagt de schildpad aan Marina.
Die vertelt over het zeilschip.

Ze vertelt over het monster met de duizend tanden.
Daarna vertelt ze hoe ze de Pauwenkroon vond.
Bij dat woord gaat er een schok door de schildpad heen.
Hij kijkt Marina met grote ogen aan en beeft.
'De Pauwenkroon?' zegt de schildpad langzaam.
'Heb jij echt waar de Pauwenkroon gevonden?'
'Ja,' zegt Marina, 'hij lag bij het moeras.'
'Dat is geweldig nieuws,' stamelt de schildpad.
'Maar ... maar waar is hij dan, ik zie hem niet.'
'Zacharias Hooi heeft hem gestolen,' zegt Marina.
'En die zeerover is er ook met mijn schip vandoor.'
Marina ziet dat de schildpad weer droevig wordt.
Hij laat zijn kop hangen, in zijn ogen staan tranen.
Marina voelt dat er iets ergs aan de hand is.
Ze slaat haar arm om de nek van de schildpad.
Die begint nu dikke tranen te huilen.
'Wat is er dan met die kroon?' vraagt Marina.
De schildpad huilt zo hard dat hij niet kan praten.
Dan herinnert Marina zich opeens iets.
Er stonden letters op de binnenkant van de kroon.
Er stond iets over een schildpad en een kus.
Marina bukt en kust de schildpad op zijn kop.
Even is het stil, maar dan gebeurt er van alles.
Uit het schild komt opeens een helder licht.
Er schiet een bliksemflits omhoog en weer omlaag.
De schildpad gaat op zijn achterpoten staan.
Zijn kop wordt groot en krijgt glanzend zwart haar.

Door een volgende lichtflits wordt Marina verblind.
Als ze weer kan zien, staat er een oosterse prins.
Hij lijkt sprekend op Bas uit haar klas!
Ze moet ervan blozen ...
'Ik ben Saladin, prins van Marrakech,' zegt hij.
'Mijn vloek is eindelijk verbroken, dankzij jou.
Ga je mee om mijn Pauwenkroon terug te vinden?'
'Best,' zegt Marina, 'maar we hebben geen boot.'
Saladin haalt zijn witte mantel van zijn schouders.
'Deze mantel heeft magische krachten,' zegt hij.
'In verhalen wordt hij vliegend tapijt genoemd.
Sluit je ogen en beeld je in dat je vliegt.'
Marina doet haar ogen dicht en denkt aan een vogel.
Een moment later voelt ze haar haren wapperen.
Ze opent haar oog en ... vliegt hoog door de lucht!
Beneden ziet ze het tropische eiland en de oceaan.
Saladin zit naast haar en informeert: 'Hoogtevrees?'
Marina zegt van niet, maar vindt het toch wel eng.
'Vliegende tapijten zijn veilig,' zegt Saladin.
'Er is er nog nooit een neergestort.
Weet je naar welke haven Zacharias Hooi op weg is?'
'Ik denk dat hij naar Antwerpen gaat,' zegt Marina.
'Daar komen de meeste matrozen vandaan.'
'Dan vliegen we naar het noorden,' zegt Saladin.
'Kijk goed naar beneden, zie je al iets?'
Marina kijkt naar de zee, die blinkt in de zon.
'Daar zie ik een scheepsmast,' roept ze even later.

Saladin ziet het en fluistert iets in het Arabisch.
Meteen daarna begint het tapijt aan een duikvlucht.
Het schip komt nu heel snel dichterbij.
Marina ziet de matrozen over het dek lopen.
Bij de grote mast ziet ze Zacharias Hooi staan.
En ... hij draagt de Pauwenkroon op zijn hoofd!
Als Saladin het ook ziet, lichten zijn ogen op.
'Dit is een droomkans,' zegt hij zachtjes.
'We scheren over hem heen en pakken de kroon af.'
Saladin gaat op zijn buik op het tapijt liggen.
Marina houdt hem vast en kijkt naar het schip.
Dat is vlakbij, maar niemand heeft hen nog gezien.
Laat Hooi de andere kant op kijken, denkt Marina.
Nog een paar seconden, drie, twee, een ...

'Hebbes!' roept Saladin als hij de kroon afpakt.
'Wie deed dat?' schreeuwt Zacharias Hooi verbaasd.
'Gefopt!' gilt Marina en ze steekt haar tong uit.
Zacharias Hooi kijkt haar eerst met open mond na.
Dan begint hij luid te tieren en te schreeuwen.

'Marina, wakker worden!' roept papa van beneden.
'Je wekker gaat al voor de derde keer!'

8. Een grappige afloop

’s Ochtends vroeg zit Marina bij dokter Garmisch.
Papa vertelt de dokter over de actie van Pascalle.
‘Dat is het toppunt,’ zegt dokter Garmisch boos.
‘Maar wanneer is die musical dan precies?’
‘Volgende maand is de uitvoering,’ zegt Marina.
‘Dan is je oog allang beter,’ zegt de dokter.
‘Het gaat om de repetities,’ zegt Marina.
‘Pascalle vindt dat ik daar niet aan mee mag doen.
En zonder repetities kan ik de rol niet spelen.’
Dokter Garmisch schudt zijn hoofd en zucht.
‘Ik kan je helaas niet helpen,’ zegt hij dan.
‘Toch heeft Pascalle wel een beetje gelijk.
Er zit een risico in sporten met een oogpleister.’
Daar moeten papa en Marina even diep van zuchten.
‘Laten we optimistisch blijven,’ zegt dokter Garmisch.
‘Dan is er grote kans dat alles straks meevalt.’

Twee uur later komt Marina weer bij uit haar roesje.
Er zit een grote pleister op haar rechteroog.
‘Ben je links of rechts?’ vraagt dokter Garmisch.
Marina zegt dat ze rechtshandig is.
‘Dan moet je extra goed opletten,’ zegt de dokter.
‘Als je rechts bent, kijkt je rechteroog het best.
En dat oog is nu afgeplakt, dus wees voorzichtig.’
‘Kan de pleister er volgende week af?’ vraagt papa.

'Als alles meezit wel,' zegt dokter Garmisch.
'Maar deze ingreep was lastiger dan de vorige.
Dus het zou een paar dagen langer kunnen duren.
Komt u wel volgende week om acht uur even voor controle?'
Papa kijkt in zijn agenda en knikt.
Dokter Garmisch loopt naar een computer en tikt er wat in.
Dan geeft hij Marina een klopje op haar schouder.
'En veel succes met de repetitie.'

De volgende dagen zijn voor Marina niet zo leuk.
Ze ziet met haar linkeroog minder dan met rechts.
Dat is lastig en ze wordt er onzeker van.
Ook hoort ze steeds meer over de actie van Pascalle.
Op school en in de buurt praat iedereen erover.
Carla belt Marina op om haar moed in te spreken.
'Ze doet alsof ze je wil helpen,' zegt ze.
'Maar ze wil alleen maar de rol van je afpakken.
Ze wil de prima ballerina zijn, maakt niet uit hoe.
Je moet gewoon doorzetten, Marien.
Jij bent echt veel geschikter voor de rol van Puck.
Bijna iedereen van de balletklas zegt dat.'
Hier krijgt Marina weer een beetje moed van.
Maar jammer genoeg duurt dat niet lang.
Haar broer Casper komt thuis met vervelend nieuws.
'Weet je wat Pascalle gedaan heeft?' zegt hij.

'Ze heeft haar lijst aan de wethouder gegeven!
Aan mevrouw Hirsch, die is van sport en cultuur!
Ze zegt dat de lijst een actie is tegen blessures.
Dat ze het doet om sporten veiliger te maken!'
'Maar hoe weet jij dat dan?' vraagt mama.
'Uit de krant,' zegt Casper.
'Ze staat op pagina drie, met een kleurenfoto!'
'Waar is die krant dan?' vraagt Marina.
'Die krijgen wij niet,' zegt Casper.
'Omdat we een sticker op de brievenbus hebben.
Daarop staat dat we geen reclame willen.'
'Bij Carla hebben ze geen sticker,' zegt Marina.
'Ik zal haar even bellen om het te vragen.
Dan weet ik in elk geval wat er precies in staat.'

Als Marina gebeld heeft, wordt ze nog somberder.
'Pascalle kreeg nog een compliment ook,' zegt ze.
'Wethouder Hirsch vindt haar een voorbeeld.
Zeg de balletles maar af, mam, ik blijf wel thuis.'
Daar is mama het niet mee eens.
'Je hoeft niet te dansen, maar je gaat wel naar balletles.
Laat de juf maar beslissen of je meespeelt.'
Marina zucht heel diep en kijkt op de klok.
'Nog twee uurtjes,' zegt ze met een grafstem.
'En dan ben ik mijn hoofdrol weer kwijt.'

Als Marina naar balletles gaat, loopt Casper mee.

Marina zegt niets, maar ze vindt het wel heel fijn.
Nu staat ze er bij slecht nieuws niet alleen voor.
Bij de balletschool ziet ze de andere meisjes.
Wat zijn die vroeg, denkt ze, meestal ben ik de eerste.
En waarom staan ze allemaal met hun rug naar mij toe?
Marina wordt bang en voelt haar benen trillen.
Zouden ze opeens allemaal tegen haar zijn?
Dan hoort ze Carla 'pirouette' roepen.
De meisjes maken allemaal tegelijk een pirouette.
En ... ze hebben allemaal een ooglapje voor!
'Wow, wat goed van ze!' hoort ze Casper zeggen.
Marina voelt de tranen in haar ogen springen.

'We gaan niet dansen,' zegt de juf even later.
'Want met al die ooglapjes wordt dat toch niets.
Verder is Pascalle ook nog eens boos weggelopen.
Om het in te halen, geef ik volgende week extra les.
En ...' de juf wil nog iets zeggen, maar dat lukt niet.
Ze kijkt naar haar klas en begint luid te lachen.
'Geweldig, meiden,' zegt ze tenslotte.

Die avond ligt Marina glimlachend in haar bed.
Ze denkt aan haar vriendinnen en aan Saladin.
Zou ze weer over hem en de Pauwenkroon gaan dromen?
Maar dat gebeurt helaas niet meer ...

Wil je meer lezen over Mette die zo goed was in het krokodillencomputerspel (zie pagina 20)? Lees dan 'Meer dan negen meter'. Mette moet van haar ouders op een sport. Ze gaat op atletiek, samen met haar buurjongen Jesper. Eerst vindt ze er helemaal niets aan, maar dan ontdekt ze iets waar ze heel erg goed in is ...

In deze serie zijn de volgende Bikkels verschenen:

Marina en de Pauwenkroon
Meer dan negen meter
Camping Citroen
Wat een held!
Boy, een stripheld met een stiefzus
Niet Aankomen!
Een auto voor papa
De gevaarlijke tocht

LEESNIVEAU

		ME	ME	ME	ME	ME		
AVI	S	3	4	5	6	7	P	
CLIB	S	3	4	5	6	7	8	P

fantasie

Toegekend door Cito i.s.m. KPC Groep

1e druk 2009

ISBN 978.90.487.0137.7
NUR 282

Illustraties: Jan de Kinder
Vormgeving: Rob Galema
Uitgeverij Zwijsen B.V., Tilburg

Voor België:
Uitgeverij Zwijsen.be, Antwerpen
D/2009/1919/67